Texte : Gilles Tibo
Illustrations : Philippe Germain

Alex et
son chien Touli

À PAS DE LOUP

niveau

Je dévore les livres

Dominique et compagnie

**Données de catalogage avant publication
(Canada)**

Tibo, Gilles, 1951-
Alex et son chien Touli
(À pas de loup. Niveau 3, Je dévore les livres)
Pour enfants.

ISBN 2-89512-135-4

I. Germain, Phillippe, 1963- II. Titre. III. Collection.

PS8589.I26A83 2000   jC843'.54   C00-940723-5
PS9589.I26A83 2000
PZ23.T52AI 2000

Éditrice : Dominique Payette
Directrice de collection :
Lucie Papineau
Direction artistique et graphisme :
Primeau & Barey
Dépôts légaux : 3e trimestre 2000
Bibliothèque nationale du Québec
Bibliothèque nationale du Canada

Dominique et compagnie
300, rue Arran, Saint-Lambert
(Québec) Canada J4R 1K5
Téléphone : (514) 875-0327
Télécopieur : (450) 672-5448
Courriel : info@editionsheritage.com

Imprimé au Canada

10 9 8 7 6 5 4 3 2

Nous remercions le Conseil des Arts du
Canada de l'aide accordée à notre pro-
gramme de publication, ainsi que la SODEC
et le ministère du Patrimoine canadien.

Pour Arno,
le futur champion

Préface

Salut !

Je m'appelle Xavier et j'habite un village où on peut jouer au hockey dans la rue, car il ne passe pas beaucoup de voitures.

Comme Alex, j'aime beaucoup jouer au hockey. À la patinoire du village, les adultes jouent avec les enfants et ils leur donnent des trucs pour mieux jouer.

Je trouve qu'Alex est très chanceux d'avoir un chien comme Touli pour jouer avec lui.

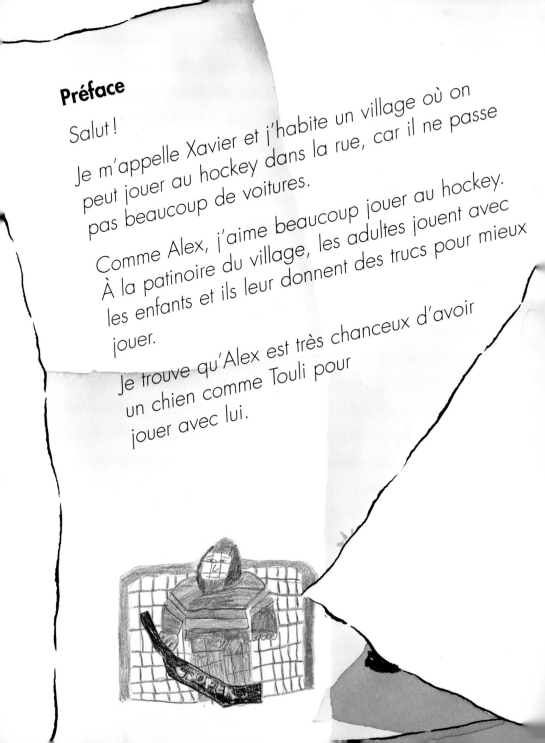

Moi aussi, j'ai un truc pour marquer beaucoup de buts. Je demande à ma mère de garder le but... et je deviens aussi bon qu'Alex !

J'espère que, comme moi, tu vas aimer cette nouvelle histoire d'Alex !

Xavier Gagnon-Lagacé 8 ans
Notre-Dame-du-Portage

Je m'appelle Alex. Voici mon nouveau chandail de hockey. Il porte le numéro 3. Je l'ai peint moi-même ! C'est le plus beau, le plus extraordinaire, le plus spectaculaire de tous les chandails.

Voici mon chien. Il s'appelle Touli ! C'est le plus beau, le plus extraordinaire, le plus spectaculaire gardien de but du monde.

Ce matin, je m'occupe de mon champion. Je le brosse. Je le lave. Je le masse. Un grand défi nous attend. Dans quelques minutes, Touli et moi allons participer au match du siècle… dans la ruelle.

En cachette dans ma chambre, nous exécutons des passes secrètes, nous élaborons des stratégies pour déjouer nos adversaires.

Puis, dans la ruelle, nous réchauffons nos muscles en attendant les autres joueurs.

Martine, Gros Simon, Antoine et les autres arrivent en bâillant, en s'étirant, en bougonnant. Pour les encourager, je leur dis :

– Allez ! Réveillez-vous !
Ce match est encore plus
important que le match du
siècle… C'est le match
du millénaire !

Je prends mon sifflet. FRIIIITTTT!!! Le match commence. À la surprise générale, Martine s'empare de la rondelle. Elle se précipite en courant vers le but. Gros Simon, le joueur de défense, s'élance vers Martine. Bang! Ils entrent en collision. Gros Simon perd l'équilibre et tombe sur Touli.

13

Touli hurle de douleur. Puis il jappe très fort.
Gros Simon se relève. Mon chien essaie
de bouger. Il tourne en rond. Il marche sur
trois pattes en gémissant. De grosses larmes
coulent sur son museau.

—Ce n'est pas ma faute ! Ce n'est pas ma
faute ! répète Gros Simon.

Je prends Touli dans mes bras.
Je rentre chez moi en criant :
— Papa ! Touli s'est cassé la patte !

Mon père examine Touli. Il dit :
— Vite ! Allons chez le vétérinaire !
— Je vais avec vous ! s'exclame Gros Simon.
— Moi aussi ! Moi aussi ! Moi aussi !
répètent en chœur tous mes amis.

Tous ensemble, nous courons chez le vétérinaire.
Nous nous précipitons dans la salle d'attente.
Les clients sursautent. Les chats miaulent. Les chiens
jappent. Les perroquets crient. La secrétaire
s'énerve. Moi, je bégaie :

—Vite ! Vite ! Ma… madame, mon…
mon chien s'est cassé… s'est cassé…
—Un instant, répond la secrétaire.
Toi et tes amis, allez vous asseoir.
Et attendez calmement.

La secrétaire prend Touli dans ses bras.
Elle disparaît derrière une porte sur laquelle
on peut lire : DÉFENSE D'ENTRER.
– Soyez patients, dit mon père.
– Patients… combien de temps ? demande
Gros Simon.
– Est-ce qu'on va lui couper la patte ?
demande Fred.
– Est-ce que Touli va mourir ? demande
Martine.

Nous attendons, nous attendons, nous attendons.
Des idées noires me trottent dans la tête. J'espère
que la carrière de Touli n'est pas terminée.

Après dix-sept minutes d'angoisse, une dame vétérinaire apparaît en tenant Touli dans ses bras. Nous fonçons vers elle et demandons tous en même temps :

— Qu'est-ce qu'il a ? Est-ce qu'il va mourir ? Que lui avez-vous fait ? Est-ce que je peux le caresser ? Puis-je ramener Touli à la maison ?

— Tout va bien, répond la vétérinaire. Touli n'a rien de cassé, mais il a un muscle froissé. Je lui ai fait un bandage. Il doit se reposer… et ne pas jouer au hockey durant au moins une semaine !

— Une semaine ! s'exclame toute la bande en grimaçant. C'est épouvantable !

Nous retournons à la maison avec Touli et son drôle de bandage. Je le couche sur le canapé du salon. Mon père dit :
— Restez calmes pendant que Touli se repose.

Nous tâchons de rester calmes. Nous essayons de regarder la télévision, mais personne ne veut regarder la même émission. Nous tentons de lire des livres, mais il y a toujours quelqu'un qui s'énerve, qui parle, qui rigole ! Nous essayons de ne rien faire... C'est impossible !

Martine propose de terminer le match de hockey du millénaire. Tout le monde se précipite dans la ruelle en riant et en gesticulant. Moi, je reste seul avec Touli.

J'entends mes amis qui se préparent à jouer. Ils m'appellent :
– ALEX ! ALEX ! VIENS JOUER !

Je dois faire un choix : ou je reste avec Touli, ou je vais jouer dehors avec mes amis. Je dois prendre la plus importante décision de toute ma carrière de joueur de hockey.

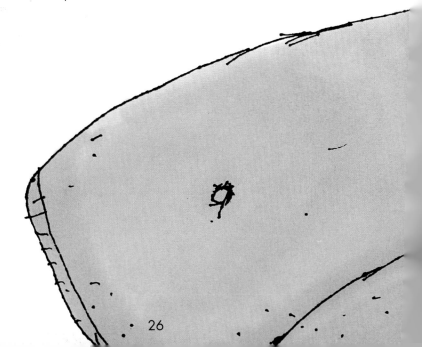

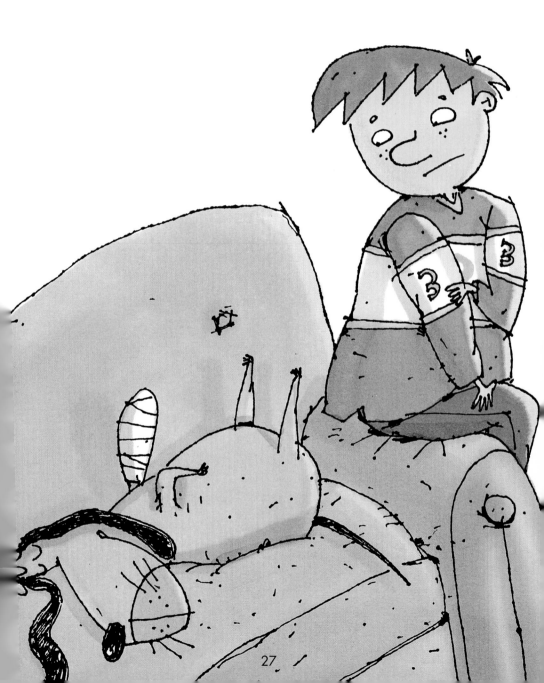

Finalement, je décide de faire les deux choses
en même temps. Je dépose Touli sur un gros coussin
que je porte dans la ruelle. J'installe mon chien
sur une boîte de carton. Jean-François, le gardien
de l'équipe adverse, décide de regarder le match
en caressant Touli.

Et... FRIIIITTTT ! Le jeu reprend. Nous prenons garde de ne pas nous blesser. Personne ne veut se casser une jambe, un bras, ou la tête.

Cinq secondes avant la fin du match, la marque est de 125 à 125. À toute vitesse, je m'empare de la rondelle ! Je baisse la tête, je fonce en déjouant tous les joueurs… Puis, en regardant Touli du coin de l'œil, je marque le but gagnant !

Je suis vraiment le meilleur joueur de hockey du monde. Surtout lorsque Touli me regarde. Et surtout lorsqu'il n'y a pas de gardien dans le but !

Fin de la troisième période.